G000059938

ALBUMINI

L'ALBERO VANITOSO

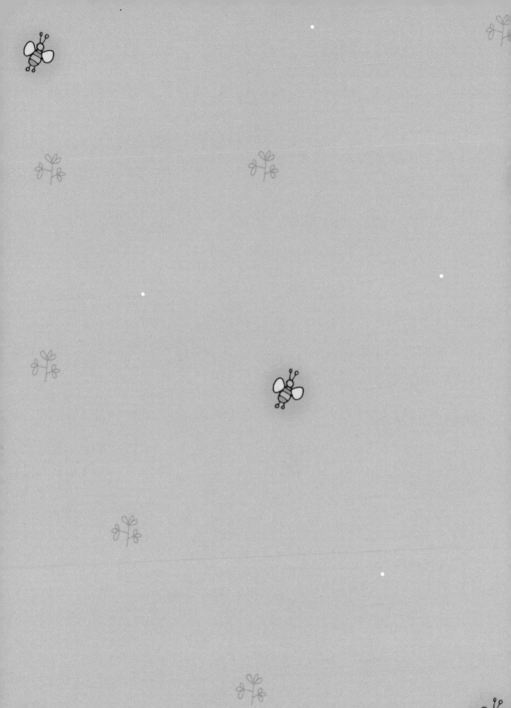

Progetto grafico di Arianna Osti
© 2004 Edizioni EL, San Dorligo della Valle (Trieste)
© 2016 Edizioni EL, per la presente edizione
ISBN 978-88-6714-547-8

www.edizioniel.com

ALBUMINI

L'ALBERO VANITOSO

NICOLETTA COSTA

EMME EDIZIONI

C'era una volta un albero molto giovane,
che viveva tutto solo in una grande città.

Il piccolo albero viveva in un cortile
circondato da tante case molto alte.

Era primavera, l'aria era tiepida e il piccolo albero era molto felice, perché ogni giorno gli spuntava una nuova fogliolina.

L'albero però non permetteva a nessuno
di avvicinarsi: aveva paura che le sue belle foglie
nuove potessero rovinarsi.
Gli uccellini erano piuttosto seccati.
Le farfalle erano sconvolte.

I gatti poi erano veramente offesi: tutti sanno
che i gatti hanno delicatissime zampe di velluto!

Quando arrivò l'estate, le foglie del piccolo
albero divennero splendide, brillanti e rigogliose.
Il piccolo albero era veramente molto contento!

Poi purtroppo arrivò l'autunno con tante
nuvole grigie gonfie di pioggia... e il piccolo
albero vide una cosa incredibile.

NOI ADESSO
PARTIAMO PER
I PAESI CALDI

Vide che le foglie, le sue bellissime foglie,
erano diventate tutte gialle.

Poi accadde una cosa terribile: le foglie,
a una a una, si seccarono e cominciarono
a cadere.
Il piccolo albero era disperato.

Cosí il piccolo albero si mise a piangere:
pensava veramente di essere molto
malato. Per fortuna, proprio in quel
momento, passava di là Ada
la vecchia cornacchia.

Ada, con pazienza, spiegò al piccolo albero
il ciclo delle stagioni. Gli disse che le sue
foglie sarebbero spuntate di nuovo
a primavera, piú forti e piú belle di prima.
Allora il piccolo albero vanitoso smise
di piangere e fece una promessa.

Quando finalmente tornò
la primavera, l'albero riebbe
le sue foglie nuove, verdi e lucide
come prima. Allora tutti
gli uccelli, i gatti, le chiocciole
con i grilli e le farfalle, tutti ma proprio
tutti, furono invitati a una festa
tra i suoi rami.